蠟筆小新
臼井儀人
爆笑巨星
Volume 48

哇！
往下拉！

咚滋!
咚滋!
咚滋!

耶——這曲子讚透了!
奴隸們，好好幹活哦!
咚滋!咚滋!

嘿咻嗯!
唔唔…
站不穩
呼呼…

你搞什麼呀!給我好好搬啦!
那是用來做我們「BREAK舞團。」舞台的重要木料，要好好愛惜啦!混蛋!

請原諒我們，我們都有腰痛。
赫魯尼亞的國民都有腰痛，真是沒路用。

管你是腰痛還是什麼痛，我們是這個國家的新國王!
奴隸只要抱著必死的決心為國王工作!
踢!

巧姆，趁現在快逃，待在這兒遲早沒命。
可是，媽媽…
妳快走。

快速跑走

歐巴桑，妳也要好好搬木材哦。
咚滋咚滋咚滋!
媽媽，我晚一點一定來救妳。

很久很久以前，有個叫新之助的流浪者。

新之助持有一對可以召喚出『救難英雄』的神奇響葫蘆。

而英雄的名字叫做…
啵嗯！
恰！
恰！
恰！

不理不理左衛門的冒險
赫魯尼亞傳奇
第1章：永作博美看起來都不會老呢
啊，沒有第2章。

好想找個地方嗯嗯…

就嗯在這兒好了。
唔嗯…

麻煩別在那邊大便好嗎？
啊，不好意思。

唔嗯…
也不可以繞到我們後面大啦。
氣味會飄過來。
救命呀！

憑我一個人做不來，叫不理不理左衛門出來好了。
恰恰
恰！
啵嗯！

請救救我…
我一定會還錢，請別讓我沉入東京灣！

託你的福，我們脫困了，你是救命恩人。

接下來救我吧！
真不該叫你出來的。
你為什麼被封進水泥柱？
真麻煩！

我在那個世界沉迷賭博、借高利貸，哼！
有什麼好得意的！
差勁的豬公！
咚嘎嘎嘎嘎！

※美國衛生綿條品牌TAMPAX。

你們也有債務纏身嗎？
請別把我們跟你相提並論。
其實我是赫魯尼亞國王，坦※派克斯。
我是他妻子蕾妮亞，那是我兒子拿普。

3天前，5個名為「BREAK舞團。」的無賴，突然攻擊我國。
他們似乎不停地襲擊各地，大吃大喝又跳舞，膩了就到別處去。

你是國王，應該有軍隊吧？
我國是小國，士兵少，而且絕大部份的國民都有腰痛，沒兩下就被打敗了。
我們一家人被放逐到國外，活生生地埋在地上。
真令人同情。

那，我該告辭了。
請等一下，請助我們一臂之力！
而且我想嗯嗯。
幫你們，有什麼報酬嗎？

※與日文虐待狂同音。

等值的錢財。
好！我來拯救你們！
新之助你也來。
真麻煩。
仰賴欠債的豬來幫忙，沒問題嗎？
到這個節骨眼，無法要求太多。

你有什麼法子嗎？
只有一個。

叫出魔物多威士※，打倒他們！
什麼？找多威士？那是危險的賭注…
那個叫多威士的是誰？

根據古老傳說，本國以前有個叫多威士的粗暴魔物，人民每個月都被他折磨一次。他以把國民的身體折得嘎嘎作響為樂。
嘻哈哈哈哈！
咕啊啊！
吧嘰啵嘰！

可是，有一次他被靈媒師封進瓶子裡。
但是後來，腰痛、五十肩、膝蓋痛在我國蔓延，繼續折磨國民，這八成是魔物作祟……

那個瓶子在哪？
在王宮後院的淀川牌活動式倉庫裡！
爹和娘請在這裡等著。

咚滋！咚滋！咚滋！咚滋！♪

咚滋！咚滋！咚滋！♪
白天好像有個小孩子逃跑了。
別管了，反正小孩什麼都不會。

我爬上去把大門的鎖打開。
咻咻咻！

咻！

嘎！

呼呼…

呼…
呼…
呼…

啊，門沒鎖。
唉…腰好痛。
喂！
辛苦你啦。

就在這裡面。

嘎啦…

亂成一團
收拾的方式跟我媽媽好像。
辛苦你了。

什麼聲音?啊！
慘了！

王子，你這不怕死的又回來啦？
滋滋♪
管管
咚滋！

他們看起來沒帶武器，好！
亮劍！
交給我！

咚滋咚滋咚滋咚滋！♪
啪嘶！
一驚

大爺…其實是我在森林裡發現他，所以把他帶過來哦。
為了把他交給兩位大爺，噗噗噗。
搓手…搓手…搓手…
你要背叛我們嗎！
他每次都這樣！

我口袋裡剛好有麥丹勞薯條。

是午餐吃剩的，I'm loving it。

謝謝你。

嚼嚼…

沒錯，要是在平常，那種傢伙我一下子就解決了。可是我的朋友和王子被他們當成人質，我無法出手。
王子？

國王一家人被埋在地上，是我救了他們。
啊，他們沒事真是太好了！
謝謝你，小栗旬先生。
呼，扳得比較開了，這樣你應該可以穿過去…

啊，這個門也沒鎖。
他們做事好像很馬虎呢。
腰好痛哦…
嘰噫…

不過，我們逃得出去了，你快走吧。
王子，你為了我這麼努力，我要報答你。

我要找到多威士的瓶子，把壞蛋打倒！
新之助！

我要在天亮之前救他們，我要離開了。
謝謝你的食物。
慢著，妳把我當成什麼了？

交給救難英雄我吧！
小栗旬先生！

對了，這附近有CD店嗎？
有是有…

瓶子在哪裡…
啊，相本…

這是王子你嗎？
對呀，這是我在七五三的相片哦。
我長得好可愛呢。
感觸良多
啊！他們又出現了！
怎麼啦？
你們怎麼出來的？
成群結隊
記得上鎖啦，做事馬虎！
對呀對呀，家裡東西被偷走怎麼辦？

來得正好，我要在這兒把你們處以死刑。
王子，你去找瓶子，我來牽制他們！

你阻止得了我們的fight dance嗎？
咚滋咚滋！
你會惹火「放浪兄弟」的工作人員哦！

你們用舞蹈攻擊，我也用舞蹈還擊！
嘿呀〇〜
嘿呀〇〜
好吃的〇〜
嘿呀〇〜
咚咚咚！
咚咚咚！

這是白鶴〇的廣告歌？
讓人捉摸不定…
〇〇◎〇〇…
別被他打亂了！專心聽我們自己的節奏！

找到了，就是這個瓶子，
水瓶座
2公升用

解除封印！魔物多威士出來吧！
叭卡！
水瓶座
2公升用

怎麼了？
衝出來！

竟然把我關在這種清涼飲料的寶特瓶裡長達數百年…
我為我祖先的行為道歉！重要的是這個國家有存亡危機！請救救我們！
咔唔唔唔……

誰鳥你呀！
用力折！
嚓嚓嚓！
咕啊啊！

呀哈哈哈哈！
他是誰呀…
幫手對你見死不救呢，王子。
王子！
唔唔…

媽媽、各位，我來救你們了！
打開！
其實門沒有鎖哦！
哦哦！
巧姆！
唔嘻嘻，發現獵物了！

來跳一場把他們送往冥府的死亡之舞。
咚滋咚滋！

慢著——!
不理不理左衛門!

大爺們…我找到適合跳舞的CD了，請用這首曲子把他們打得東倒西歪…
嘿嘿，你倆好。
哦，「20首最in的世界BREAK DANCE音樂」好像不錯，放來聽聽。
你這混蛋……

放進CD，switch on!
嗶!

鏘恰卡!鏘恰卡!鏘恰卡!
唔呃!這前奏是…
根本是演歌嘛。
這樣沒辦法跳舞呀!

走開啦豬公!
底迪我為了葛格你~想親手做料理~可是倫家家裡沒有鍋子~也沒有菜刀湯杓~
用力踢!
用力踢!
用力踢!
我才不要讓開呢!

宰了你這隻豬公!
抓住!
一拳!

哦哦，你很會打哦，王子！
精神抖擻！
嗯！腰的情況好得像不曾痛過一樣！

王子！我們剛才也被魔物多威士整脊，腰痛痊癒了！
大批人馬
熱鬧！熱鬧！
各位！

才不會輸給你們咧！
一擁而上！
噫——
唔哦——！

小栗旬先生，謝謝你。
我只是做我該做的事啦…
哼哼嗯…

巧姆，
拿普王子！

※日本女性用尿失禁衛生棉的牌子

我早就決定了，如果活著回來就要跟妳結婚！
我也對您仰慕已久…
失望…

啊啊，兩人名字合起來就是巧姆拿普…※
迷你巧姆拿普，應該不久就會誕生吧。

沒多久，國王和王妃也被叫回來。
啪嘰！
咕呃呃！
啵嘰！

哦！腰真的好了！
原來你不是魔物，而是保護國民不腰痛的整體精靈。
對呀，你們真失禮。

沒關係，今後我每個月都會來整你們一次，要有所覺悟哦！
哈哈哈哈！
謝謝你！

拯救此國的新之助和不理不理左衛門得到了獎金。
為什麼還有獎座？
啪啪啪嘰嘰嘰！
獎金
100萬赫魯尼亞

真的很謝謝你們！
保重啊！
再見了，巧姆…

唉…真不想回去那個世界，催債的又會來找我吧…
這些獎金也不夠還。
喃喃自語

我的獎金給你。
咦？

你死掉的話，會令我困擾…而且，我以後還會找你出來幫忙…
哼…既然你堅持，那我就收下好了。

掰。
啵嗯！

謝謝你！
哦！

赫魯尼亞傳奇　完

娜娜子
LOVE　FOREVER篇

呀!

其之1

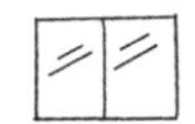

『木更津貓眼』很有趣呢。

現在才去租片來看的人。

小新——
娜娜子姊姊！

才想說聞到香氣，原來是妳在這裡呢。
你還是這樣愛耍嘴皮子。
戳！

妳的手怎麼了？

昨天被蜜蜂叮了…
震驚！

妳要躺下來休息才行！應該去住院啊！
打點滴！貼消炎濕布！生小孩！
你太小題大作啦…

抱歉，都怪我無法陪在妳身邊！
可惡的蜜蜂（與八同音），我要把你減掉一，置你於死地（與七同音）！
你冷靜一點⋯⋯
發抖⋯⋯

娜娜子！我要去修鍊工夫，我一定會保護妳！
噠！
走掉了⋯⋯

第二天，動感幼稚園。
妮妮想當加布里埃爾。
妳在說「慾望師奶」嗎？
戳戳⋯⋯
戳⋯⋯
喀嗯！

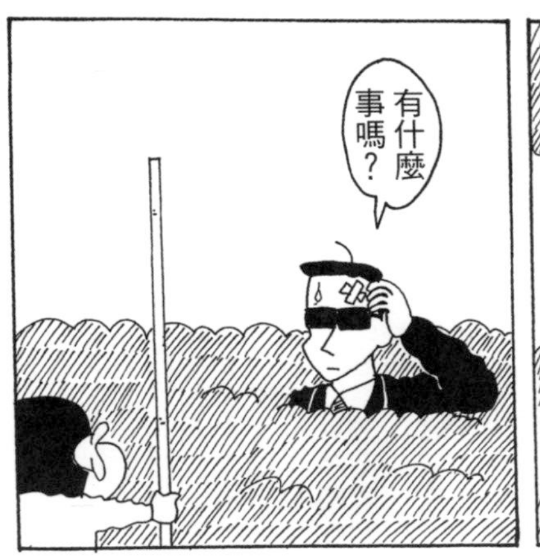
有什麼事嗎？

請收我為徒！我想成為塑身保鏢！
不行啊⋯⋯

黑磯！答應小新少爺的願望！
可是我身負保護小姐的任務！我要專心工作！
抱歉，我無法答應這個願望。

下個月，我爸爸將邀請好萊塢女星蜜拉喬娃維琪薇奇到家裡來。
就是『惡靈古堡油燈』系列的女星嗎？

我可以幫你向她要求合照簽名。
新之助少爺！你要不要當我徒弟？
該女星的大粉絲。
耶——

首先告訴你當隨身保鏢的從業觀念！
生氣勃勃！
隨身保鏢教室開課了
哦，突然變得好熱心。
原來黑磯是這樣的人……

你認為，對保鏢而言重要的事情是什麼？
唔嗯………

少吃油炸食物。
那個對中老年人才是重要的事…

保鏢即使犧牲自己，也要保護重要的人！那是最重要的事情！
哦哦！

所以第一項訓練！當危險接近保護的對象，就挺身當護盾！
挺身而出！
哦哦⋯

你試著保護他。
布拉甲！
※與roger發音類似。

幹嘛啊？
咚咚咚咚⋯

我非保護你不可！雖然很麻煩。
啊？

危險！
撞到！
咚！

好險吶⋯蒼蠅突然飛過來⋯
我受害的情況才嚴重呢！
嗡⋯⋯

你應該在我真的有難時保護呀！

嘎恰！
劇本
不小心跨越禁忌的夫妻
風間，跟妮妮玩逼真版家家酒吧！
現在正是我有難的時候呀！
拔腿就跑！

後來，嚴格的特訓也持續進行。

謝謝老師！
明天要做實戰訓練。
總覺得好累…
Ooo

第二天
愛小姐
第一次翻身
紀念日宴會會場

要不斷留意周遭，讓愛小姐避開所有危險。
雖然不懂你在說什麼，但我知道。
熱鬧！

我真是不小心，在這麼重要的日子弄壞身體…
咳咳！
因為陪新之助訓練而發燒了。

※已故法國影星

各位，為了要預祝愛小姐今後的健康，現在舉行開香檳儀式！
香檳是法國的一流品牌「鬧情緒的Jean Gabin」
哦哦！
啪啪啪啪！

暈眩…
唔唔…頭昏……

啵嗯！

啊！

!!

這支炸雞好像很好吃，我要了！
議論…
紛紛…
喀！

實在抱歉！您有沒有受傷？
小姐！
我沒事。
是這位少年保護了愛小姐！
哦
好吃。

你做得很好！你是優秀的保鏢！
吃炸雞被誇獎了…
愛愈來愈喜歡新少爺了。
啪啪！
啪啪！
啪啪！

第二天
好！這次我要當娜娜子的塑身保鏢！

討厭，爸！你別跟來啦！
聽到妳被蜜蜂叮，我坐立不安呀！今天起我要保護妳！
煩死了！我討厭你！
老師…稿子…截稿日到了…家庭宴會…

我不想被娜娜子討厭，不當保鏢了。

娜娜子
LOVE FOREVER篇
其之2
小新——
娜娜子！

一股味道飄來…

我喜歡你，新之助。
抱住！
我很高興，可是妳好像臭臭的…
臭味撲鼻…

臭味撲鼻…
啊！
大便、中便、小便都有。

生氣不已
好夢被糟蹋了！
意外美味的洋梨。
兩腳直立步行

啵鏘…
廁所
沖洗
停止
止
嗶！

水柱噴出
屁眼好痛哦！

把水柱設成「強」的人八成是媽媽！因為媽媽那裡的皮很厚！
強
弱

偶爾也得嚴厲地告誡美冴才行。
氣沖沖！

嚴厲告誡
你喝完牛奶又忘了放回冰箱對不對！要我講幾次才懂呀！
對不起…

被她搶先一步了。
脫下

滾…
滾…
滾…
哇！
咚！
哦！
哦！
哦！

踩下去

腳底好痛哦！

可惡的動感超人！我要跟你離婚！
咚卡！
熟睡
痛死我了…
兩腳直立步行
兩腳直立步
步行
兩腳直立步行

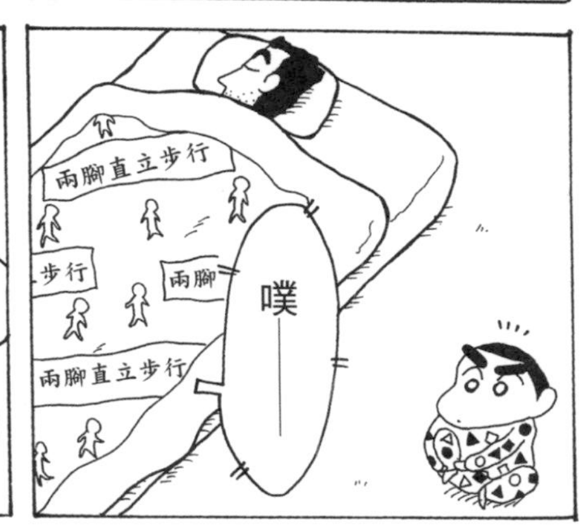
兩腳直立步行
兩腳
步行
兩腳直立步行
噗——

兩腳直立步行
兩腳
把棉被搧一搧…
噗啊！

今天一早就諸事不順，再這麼下去我可能會死翹翹。
害怕…

今天盡量乖一點好了。
大家吃早餐囉！

今天是你愛喝的馬鈴薯味噌湯哦。
耶——

滋滋…

嘴唇好燙哦！
傻瓜，要吹一吹再喝呀。

連馬鈴薯味噌湯都背叛我…
沮喪
打起精神來啦，我把竹筴魚乾的刺拿掉了，吃吧。

吃下去！

啊，有骨頭嗎？抱歉抱歉。

我討厭日式食物！我不要當什麼日本人了！明天起要當義大利人！
我只吃義大利麵！
喃喃自語

※脂肪與死亡日文同音。

今天天氣好，全家出去兜風如何？
哎呀，好啊。

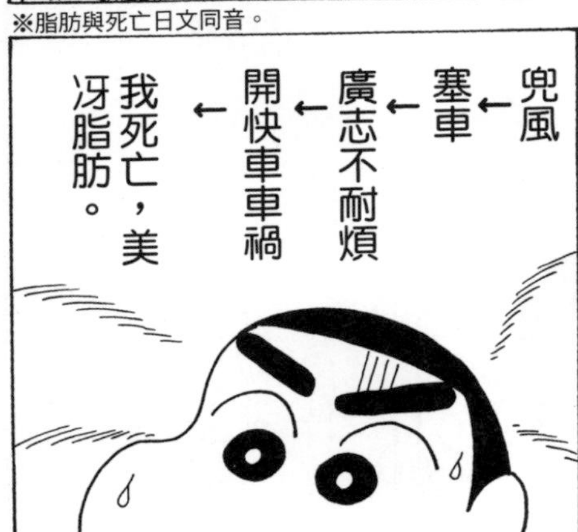
兜風←塞車←廣志不耐煩←開快車車禍←我死亡，美冴脂肪。

我、我不去了…而且我容易暈車。
頭一次聽你說會暈車。

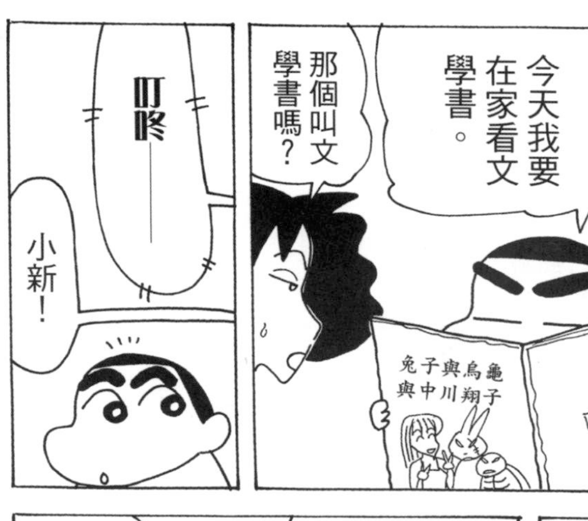
今天我要在家看文學書。
那個叫文學書嗎？
兔子與烏龜與中川翔子
叮咚——
小新！

要不要出去兜風啊？

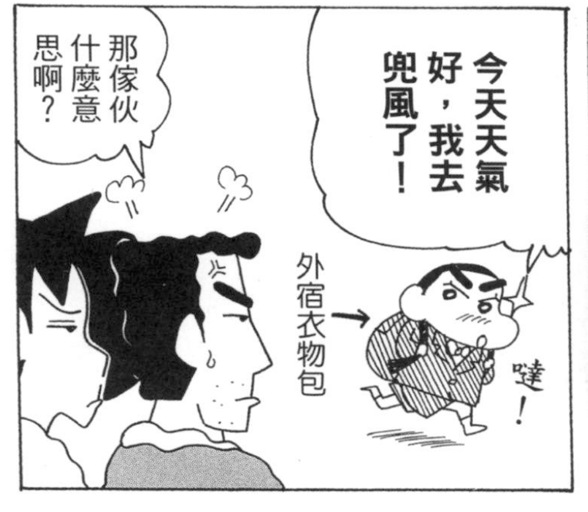
今天天氣好，我去兜風了！
外宿衣物包
噠！
那傢伙什麼意思啊？

噗哦

要去哪裡？
美食餐廳巡禮！
我不放心，所以我也要去！
請在傍晚之前交稿哦。
今晚我有家庭宴會。
擁擠…
擁擠…
今天果然很不順…

娜娜子
LOVE FOREVER篇 其之3
理髮廳
愛之路
這兒開了一家理髮店啊……
去看看好了。

妳好，可以馬上幫我理頭髮嗎？
哦，店裡的氣氛不錯。
歡迎光臨。

今天要理成什麼樣子？
整體修得短一點。
是父女一起經營的嗎？

喬治，三十分鐘到囉。
啊，真的嗎？

噗啾
咦——？

啊，不好意思，其實我們是夫妻。
我們說好，每三十分鐘要親一次。
哦……是嗎？
隨你們便！

美加…不對,內人是平成元年出生的。
這麼說,今年19歲?年輕的妻子真令人羨慕。
卡嚓卡嚓…
外子讓司是昭和33年生,49歲,跟麥克傑可遜一樣屬狗。
我實在不認為麥可有生肖的觀念…

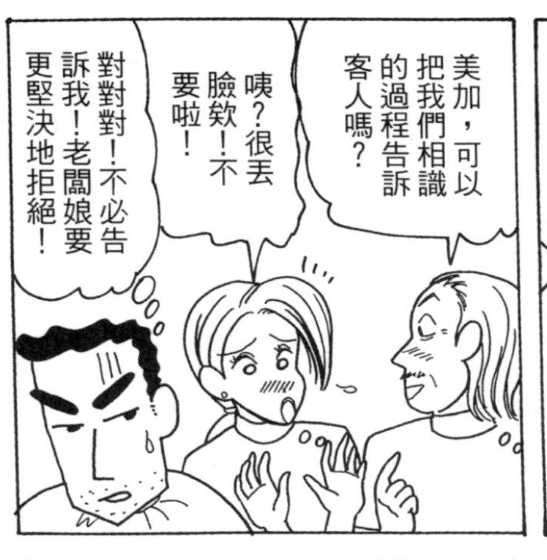
美加,可以把我們相識的過程告訴客人嗎?
咦?很丟臉欸!不要啦!
對對對!不必告訴我!老闆娘要更堅決地拒絕!

那是2年前的夏天,地方在大洗海岸。
她要講啊?
美加是當地的飆車族「清晨套餐」的首領。
好像咖啡店哦!

讓司是來自埼玉的孤獨機車騎士!他用銳利的眼神接近我們。
我對著她們那群女飛仔說……
哦…好危險的情景…

『不好意思,請問大洗水族館在哪裡?』
我說『我們也正要過去,要不要一道去呀?』。
後來我們很談得來,一路步上紅毯。

這就是我們邂逅的過程!
3天後我們就去辦結婚登記了。
然後過了2年。
不好意思,趕快幫我理髮好嗎?
不耐煩

接下來是聽友『3天的俄式炸麵包』點播CAROL樂團演唱的Funky Monkey Baby。
哦，不錯哦！

昭和老歌出來了。
生氣！

喂！不許瞧不起CAROL樂團！不許瞧不起昭和時代！
那都是過去了啦！現在是平成時代！
欸欸欸！

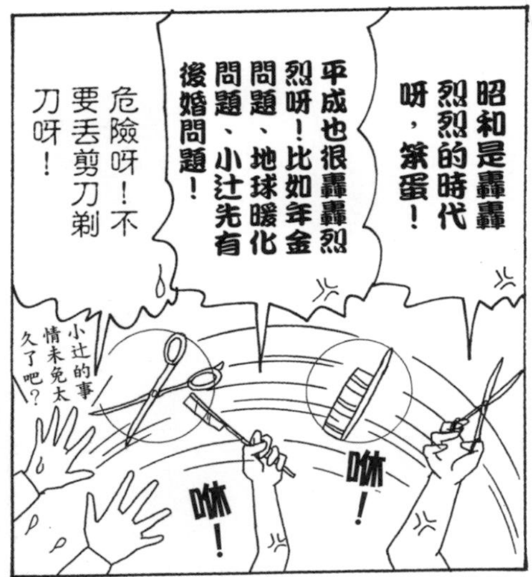
昭和是轟轟烈烈的時代呀，笨蛋！
平成也很轟轟烈烈呀！比如年金問題、地球暖化問題、小辻先有後婚問題！
危險呀！不要丟剪刀剃刀呀！
小辻的事情未免太久了吧？
咻！
咻！

我回來了……
怎麼啦？

今天真抱歉呀，讓司。
是我不好啦，美加。
我愛你達令！
我也愛妳，寶貝！
啾！
理髮廳
愛之路

娜娜子 LOVE FOREVER篇 其之4

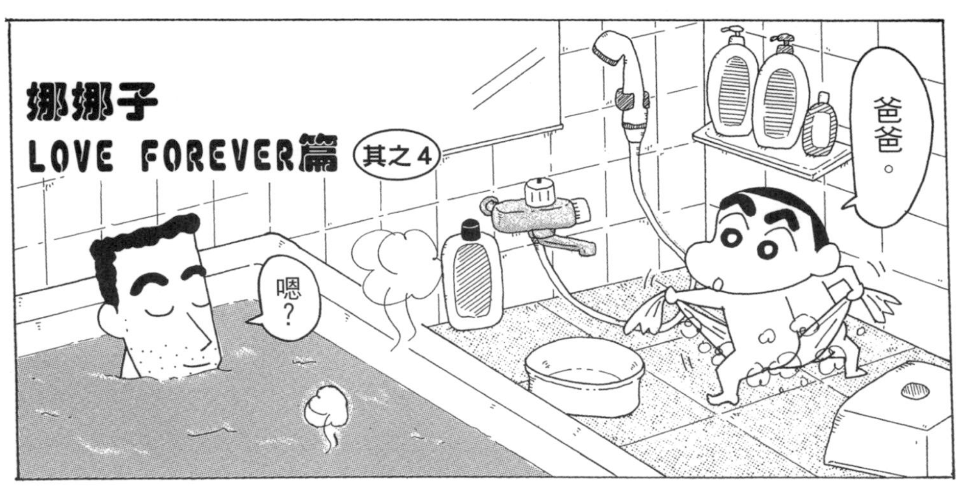

爸爸。
嗯？

你會前翻向上嗎？
你說單槓嗎？前翻向上我當然會呀。

爸爸小學時代很會玩單槓，自稱厲害到『在單槓上飛舞的天使』的程度哦。
這樣啊⋯

現在則是『被老婆吃得死死的無力天使』。
小聲
囉嗦！

不過，爸爸會前翻向上欸，性感又英勇！翻給我看、翻給我看！
那星期天翻給你看。
不必說我性感。

第二天下班回家的途中

表演給孩子看之前，稍微練習一下吧。

翻起……
呵！

落地……
欸？

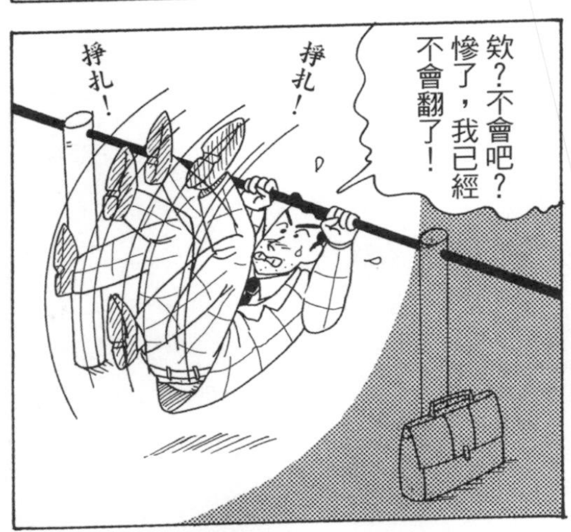
欸？不會吧？慘了，我已經不會翻了！
掙扎！
掙扎！

父親的威嚴
呼…
呼…

嘎啦…
嘎啦…
嘎啦…
啊啊！不要──！

凝視良久
啊，捨內先生⋯
便利商店

噗！
啊！你笑了對不對！你很明顯的笑了！

是的，我有笑，但我不是看到你前翻向上失敗丟臉的樣子才笑，是想到昨天的電視節目『報導station』才笑出來的。
哈噗！
胡說！『報導station』沒有好笑的地方！

你嘲笑別人，就表示你會翻吧。
⋯⋯⋯
哈呼⋯

哈！

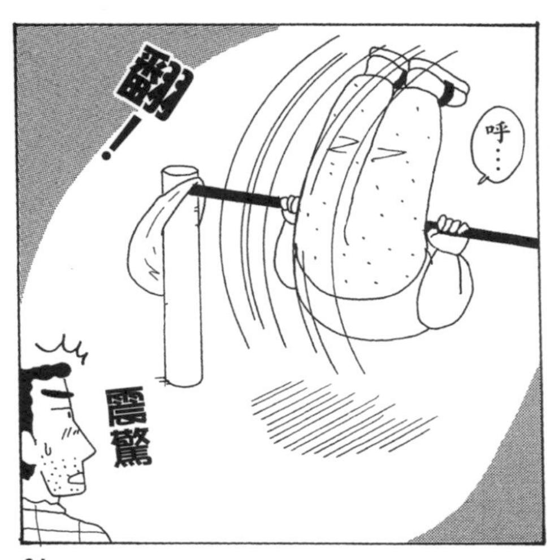
翻！
呼⋯
震驚

動作完成！
哈呼！
長得醜，還翻得如此俐落…

再見。
哈呼……
等一下！

請告訴我！
停住…

裡面是罐裝啤酒、魷魚絲和『週刊大眾』。
哈呼……
我不是叫你告訴我袋子裡裝什麼。
便利商店屋

請教我前翻向上！
………
好，不過有一個條件！
哈呼……

請幫我打掃房間！
擺姿勢
轉身！
不需要擺姿勢說這句話啦。
你家又堆滿垃圾了嗎？

後來，連夜的特訓展開了。
不對，腋下再夾緊一點！
讓腰靠近單槓！
哈呼！
哈呼呼！
唔哦哦！
屁眼夾緊！

某一天
騰空！
翻轉！
成功了！
你找回翻轉的感覺了呢。
哈呼！
啪啪啪
啪啪！

你盡力了呢。
謝謝你。
夕日啤酒
ultra dry

不過，我們以前在哪兒見過吧？
你想太多了。
哈嗬噗……
咕嚕……

星期天
新之助！我們來玩單槓吧！

我表演前翻向上給你看，好不好？
爸爸的前翻向上很厲害哦！
我要去跟正男踢足球。
已經沒了興趣。
再見。
我們去公園吧，不是說好了嗎？
咚噠咚噠……

蠟筆小新有點難度小謎題～ PART20

第20回的「蠟筆小新有點難度小謎題」，先從救難英雄不理不理左衛門的問題開始，你全都答得出來嗎？

Q1

不理不理左衛門拯救赫魯尼亞國脫離壞蛋的統治，得到獎金和獎座。那…你記得不理不理左衛門頭一次出現解決事件時，要求多少「救難費」呢？

Q2

另一個不理不理左衛門的問題哦。你知道靠不住的救難英雄不理不理左衛門，擁有什麼執照嗎？

Q3

我未來的新娘娜娜子，不論何時見到，都美麗無比！你知道娜娜子喜歡的男生是什麼類型嗎？順帶一提，是從事某種運動的人哦。

◀答案在這一頁的背面哦！

來對答案哦～～
要是你全都知道，
就太厲害了！

A1

不理不理左衛門頭一次出現，是幫助欠債父女的時候哦。最後不理不理左衛門要求了一千萬圓的「救難費」（可以接受分期付款）哦。真是隻厚臉皮的豬。從第15集的38頁開始看吧。

A2

答案是拆除炸彈的２級執照！不過，他第一次拆除炸彈完全失敗，被罵做是「沒用的豬」哦。出現在第26集的60頁哦。

A3

答案竟然是相撲力士哦！為了讓娜娜子喜歡我，我也要努力大吃變胖才行。看看第26集的16頁吧。

吵吵鬧鬧的生活，今天也會繼續哦！篇

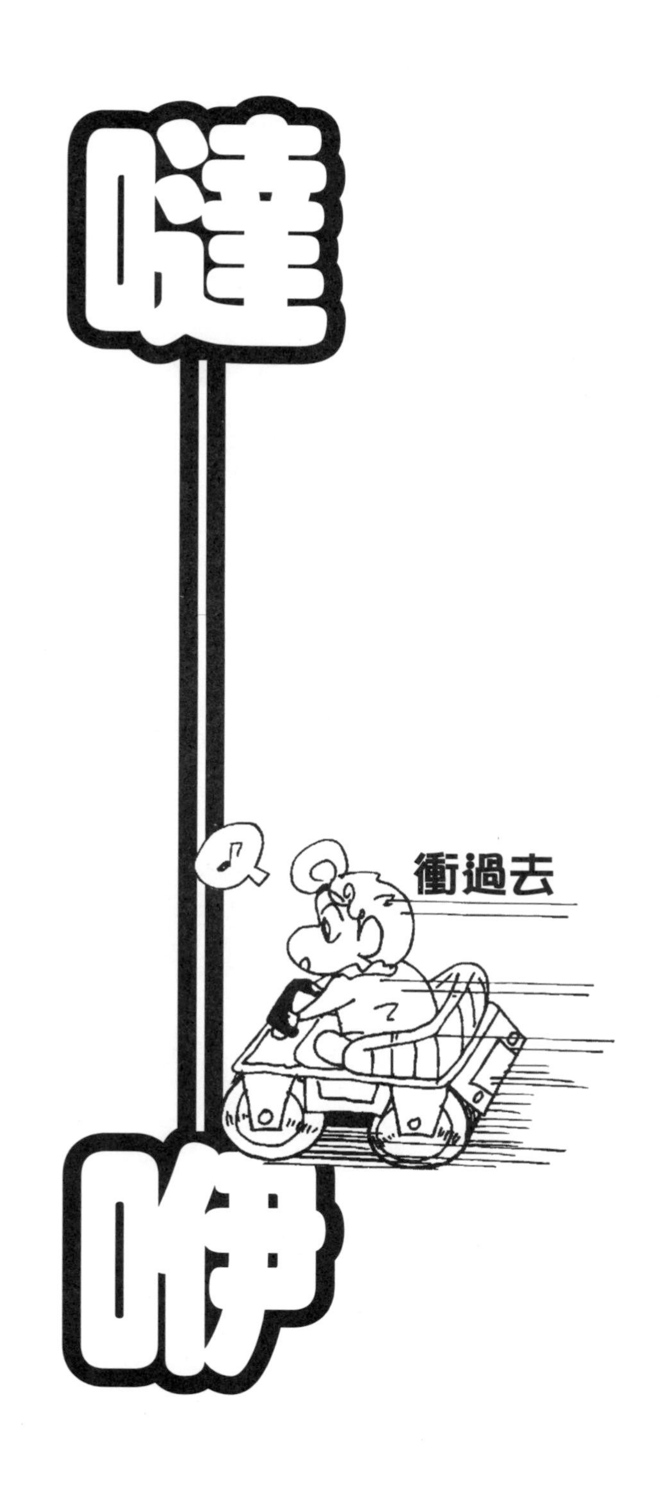
噠
咿
衝過去

吵吵鬧鬧的生活，
今天也會繼續哦！篇 其之1
神鬼認證
英語補習班
後仰銀行
居酒屋IKIRI
育毛FANACY
搞笑商事

咦？聯誼？
對呀，你們幼稚園跟我的幼稚園，四對四聯誼如何？
豪根好奈

她以愛參加聯誼而出名，這會使我的名聲變差，婉拒她好了。
抱歉……

我打算找同幼稚園的短澤雅美參加。
風間最近心儀的女生。
我很樂意參加…

第二天，動感幼稚園
咦？聯誼？

對方是大學女生還是OL？
當然同樣是幼稚園小朋友啦！
可是，聯誼對我來說太…

對方是瑪莉皇后幼稚園的女生哦。
那所有名的千金小姐幼稚園？
原來對方是小孩子…真是不啼的雞…
正確說應該是提不起勁。

可是，像我們這種其貌不揚的鹽味三角飯糰，可以去嗎？
別客氣啦。
其貌不揚的鹽味三角飯糰只有你一個吧。

帶著這三個土包子去，就能襯托出我的優秀有型。

地點和時間是⋯⋯

拜託你們啦。
我好緊張哦，要穿什麼衣服去呢？
要穿幾條內褲去呢？
一條就夠了吧。

沙⋯
什麼嘛！有妮妮我這個偶像陪在他們身邊，卻還要參加聯誼。

我要妨礙他們！

聯誼當天
「今天我來付啦」「不行呀中村先生，我來付」公園

大家都到齊了，差不多可以開始聯誼了。
耶
啪啪啪！
請男生先自我介紹。

※燒肉店。

呃…我是風間徹，興趣是追求學問，
拿手的運動是足球。
啪啪啪！耶
我、我我叫正正正男，我、我想吃三角飯糰……
你緊張過度了啦…
他在RAP？
電影「裸之大將」的口吃男主角？

我叫新之助，喜歡的牛語是『既然都要被吃掉，我寧願在敘敘園被吃掉』※。
我叫阿呆，今天鼻水的透明度良好。
風間的朋友都很有特色呢。

抱歉我遲到了，風間。
咦？

妮妮？
NENE

她女扮男裝。
敢拆穿妮妮的身分，我就說出你愛扮裝的嗜好。
噓——
他是誰？
跟我同幼稚園的妮妮男，其實我也有邀他來參加。
請多指教。
唉…煩死了！
NENE

有點壞壞的，好酷哦！

妮妮男的興趣是什麼呢？

偷窺男女之間的愛恨情仇。
對對，只要有那個，可以配好幾碗飯…

吃得下才怪！你怎麼叫我說這種話！呆子！
揮過去！

呀！妮妮男好強哦，真迷人。
什麼？雅美開始對她有好感，不妙！

ORANGE
蘋果汁

現在開始玩國王遊戲！
呃…她還在玩這種遊戲。

國王遊戲太過時了！
不悅！
說得好，新之助。
現在可是殿下遊戲的時代！所謂殿下遊戲就是……

決定出一個人當殿下，其他人聽從殿下的指示，對吧！
你知道得真詳細。
跟國王遊戲一樣呀！

沒關係啦，玩一次看看也無妨，或許出乎意料地好玩哦。
真有男子氣概！

大家手上都有免洗筷了嗎？開始囉！
殿下是誰？

耶——是我！
殿下
那，你對我們下一個命令。

這樣嗎？
不是露屁屁！是下命令！
抱歉，他老愛開這種玩笑。
露出來

3號和7號…
哎喲，我是3號！
我是7號。

真幸運！跟雅美配對的話，什麼指示我都願意做。要是新之助要求我們親嘴，那不就傷腦筋了。他過，真希望真的那麼說，說呀！新之助——！
害羞…

請你們兩個表演相聲。
咦——？
耶——
啪！
啪！
啪！

我負責裝傻，風間你來吐槽。
咦？可以嗎？
不用客氣。

大家好，我是阿徹。
我是雅美。
啪！
啪！
啪！

※24反恐任務男主角。

兩個人合起來叫做，
※基佛蘇德蘭！

喂喂，這樣就變成一個人的名字啦。
拍！

你吐槽的力道太弱了！要更犀利一點才行呀！
這種氣氛要怎麼收拾？
別看雅美乖乖的，她對搞笑要求很高的。
不耐煩……

讓開，我來演！
這傢伙的吐槽功力的確太弱了。
咚！

大家好，我是妮妮男，
我是雅美！
兩個人合起來叫做基佛蘇德蘭。

我還傑克鮑爾咧！
啪叩！
妮妮，妳打得太用力啦！
24反恐任務要播多久呀！

好迷人哦，頭一次遇到這麼會吐槽的人…
別看雅美乖乖的，其實她喜歡被虐。
咦？

妮妮男，跟我交往，然後多打我一點！
抱住！
唔呃…

其實她是女生哦。
她沒有小弟弟哦。
對！這邊光溜溜的！哈哈哈！
妮妮……
這麼說，妳是女扮男裝？
啪啪啪！

更迷人了！跟我交往！
嘻嘻——
這段戀愛結束了。
要繼續玩殿下遊戲嗎？
2號和5號要回去了。
別看雅美乖乖的，其實她是狂熱的寶塚迷。
啊，形狀稀奇的石頭。
唉呀，跟小孩子玩果然累人。

吵吵鬧鬧的生活，
今天也會繼續哦！篇 其之2
咚噠！
啪噠！
咚噠！
等一下！小葵！

呼…
呼…
新之助，幫我抓住小葵好嗎？
咦？我正在閱讀欸。

你八成又在看A書了吧？

不是啦，真失禮。
跑快一點美樂斯
大宰治
哎呀，是正經的書。

輕輕一打，咚！

露出馬腳了。
果然如此。
月刊
一堆賽車女郎
啪沙…

小葵不肯讓我幫她剪指甲啦。
吧噠！
咚噠！
真是小氣的女生。
咚噠！

她躲在茶几下。
新之助，你從後面包抄，我們前後夾攻她。
哦哦，好像警匪片！

妳叫我傑克·野原！媽媽妳演「美沙·胸部平平」。
好好好，你願意幫忙，只要我叫胸部平平或屁股大大都可以。

噠噠！
就是現在！傑克！衝進去！
我知道了，胸部平平！

發現小葵了！

耶，是糖果欸！
丟！

別像傻地中了嬰兒的計啦！
嗶恰嗶恰
可是很好吃欸。
迅速爬走

迅速爬走

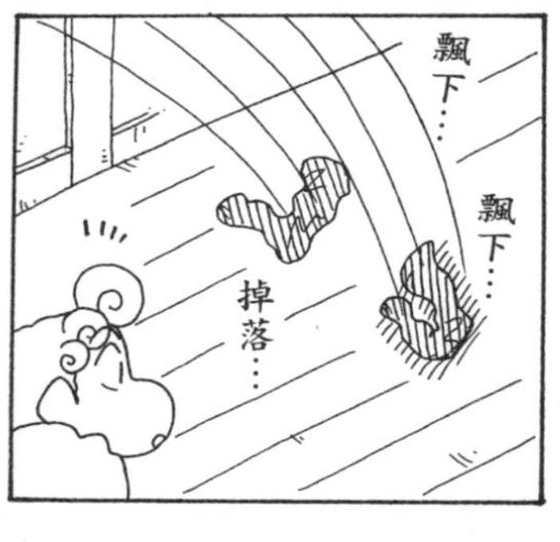
飄下…
飄下…
掉落…

臭氣薰天

哦呵呵…怎麼樣？妳有勇氣爬過爸爸還沒洗的襪子嗎？
唔…

做得好，胸部平平！
別再用那個名字叫我了啦！
你這個飯桶傑克！

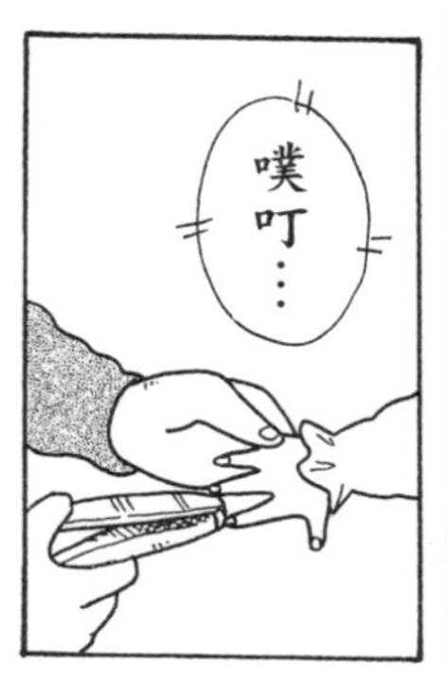
噗叮……

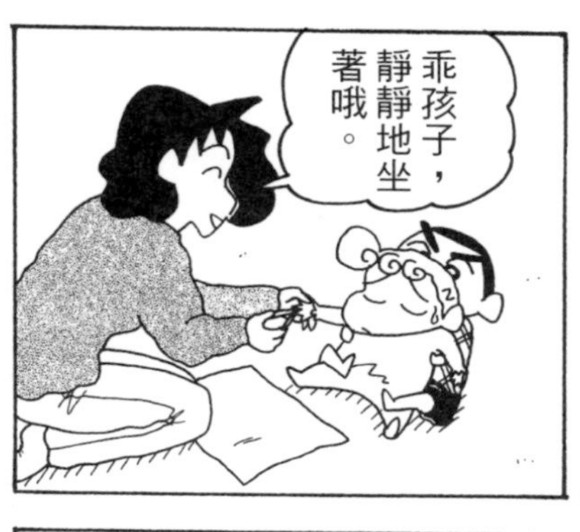
乖孩子，靜靜地坐著哦。

OK，這麼一來，小葵的指甲剪乾淨了。

唉呀，真是令人費心的妹妹……
呼唔……

小新，我也幫你剪指甲，手伸出來。
停住……

不用了，我最近指甲沒長長…
指甲是全年無休地成長的。
手伸出來。

我昨天已經在柱子上磨過了。
你是貓啊？
少囉嗦，手伸出來！

好！我把手伸出來，但是妳要把櫥櫃裡的巧克比交出來！
為什麼要交換條件！快把手伸出來！

給我站住！
咚噠！吧噠！
負栗旬寫真集

到鄉下借住一晚
少男偶像呂小丹來到鄉下。

你認識我嗎？我是人氣偶像呂小丹，興趣是仲村徹。

旁白 被整的岡田
半強迫性地要求過夜的呂小丹，馬上要求吃晚餐。
這就是鄉土料理「逞強鍋」嗎？好好吃！對了對了，有酒嗎？
大口大口吃
老公…這小姐是做什麼的？

© 白倉若菜老師 「月刊超市小八卦」 在JOUR人氣連載中！

第二天早上道別時。
謝謝你們，再見了！
家裡的酒被她喝光了…
旅行真不錯呢。
感動…
老公！不許再帶那種人來家裡囉！
媽媽，我要出去旅行！
記得5點之前要回來哦。

正男——

正男——
那是我家對面的鄰居啦。

我知道那個節目，要我當攝影師？好像很好玩耶，我要參加。
也找阿呆來，叫他當導演。
櫻田
餅乾再一下子就烤好了。
我得傳郵件給妮妮才行。
『餅乾烤好，立刻回家』
嗶嗶嗶！
烤好之前，先來小睡一下。
躺下來
叮咚——
嘖…！
哎呀，是正男你們。
唔，小新也在…
來，開始！
其實，我正在尋找今晚過夜的地方。
抱歉，我家沒辦法讓你過夜。
停機一下。
我們在拍節目，只要拍到妳答應的鏡頭就好…事後我們會做編輯。
啊，只要拍到想拍的鏡頭，他們就會回去了。
我們在錄『好心來去鄉下住一晚』的外景。
啊，你們在玩拍節目…
節目名稱好高傲哦。
我正在尋找今晚過夜的地方。
你不嫌棄的話，請到我家過夜。
好啦，這樣就行了吧？

耶！主人說OK了。
喂喂，他們真的要進來嗎！
你剛才說只要做做樣子……
滋卡……
滋卡……
哦哦，真是堅固的柱子，蓋了幾年呢？
喂，變成別的節目囉！
跟渡邊篤史一樣的髮型。
抱歉，阿姨現在很忙，你們回去好嗎？
嘴上這麼說……其實妳在睡午覺對不對？妳臉上有榻榻米的痕跡。
怎麼可能呀，我是在沙發上睡的。
妳果然在睡覺，妳並不忙。
慘了……
哦，有香香的氣味！好像在烤餅乾。
聞聞！
哇！好好哦！
不妙！
是餅乾沒錯，不過我剛剛才開始烤，還要烤3小時，真可惜。
叮──
好像烤好了。
耶──
好啦，我拿一點給你們就是了。
不，我們並沒有那個意思。
呵，小孩子不用顧慮這麼多，
別客氣，吃了餅乾再走。

那，我順便喝個熱牛奶。
我要紅茶。
我要花草茶。
這幾個傢伙…
咬牙切齒

好吃。
嚼嚼…
好甜。
很好吃。
嚼嚼…
哎呀，真的嗎？

不需要說客套話，我也想聽中肯的意見。

老實說，吃了會膩。
有點黏黏的……
請把甜味降低一點。
小孩真是機車…

阿姨有點累了，到隔壁房間躺一下。
你們吃完要回去哦。
好——
好——

唉呀呀…

吃得好飽哦。
完全忘了我們在玩拍節目遊戲呢。
回去吧。
嗝噗！

這包東西是什麼？
難不成是…

啊…睡了一會兒。
那群孩子回去了嗎？

字條？

感動！
嘻，他們畢竟還是很可愛呢。
給妮妮的媽媽：
謝謝妳的餅乾。

禮物？
還送餅乾給我們拿回家當禮物，不好意思。
三個帥哥留。

啊！不見了！
噠噠噠！
我回來了，媽媽，餅乾呢？

為什麼妮妮的餅乾不見了！
我留了一份給妳，是他們誤當成禮物帶走了啦！
咚卡！
嘎！
誰叫妳這麼晚才回來！
啵喀！

妮妮的媽媽真好，還為我們準備這樣的禮物。
吃了那個，再來拍外景吧。
感動
啵！
旅行果然樂趣無窮呢！

哦
哦

小新流的察言觀色法，我來教你哦！篇

哦。

貓舌市場
恭喜您。

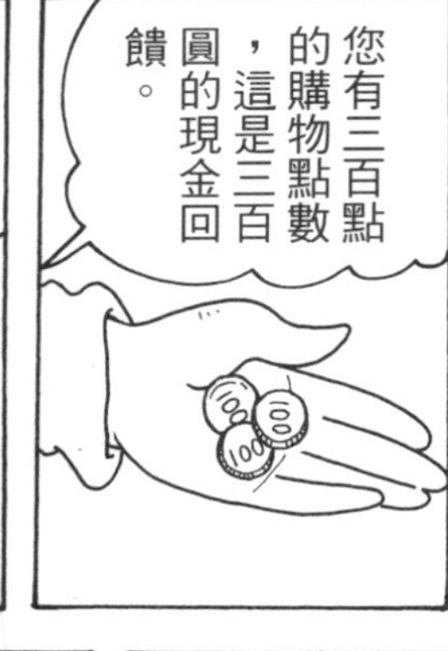
您有三百點的購物點數，這是三百圓的現金回饋。

哎呀，我好開心，謝謝。
下次再光臨。

嚕嚕嘎嚕嗯！盧馬尼亞！♪

呀，發現帥哥！

眨眼！
討厭，他對著我拋媚眼。
又驚又喜

今天感覺好幸運哦！
痛…灰塵跑進眼睛了…

小新流的察言觀色法，我來教你哦！篇
之1
彩券投注站
珍寶樂透發售中！
3億圓
……
……

請給我電腦選號的一張。
三百圓。
才買一張，沒有連號或選號的分別吧。
幾星期後
中了，大大大大…
貓耳報
大大大大大…
媽媽在模仿拳四郎。
一點都不像。
不是啦，我中了彩券！
哦，對中最末一碼，就能得到三百圓吧？
不是！是3億圓啦！
我喘不過氣了…
珍寶樂透
中獎號碼
1獎（3億圓）
58組164334
2獎…
珍寶樂透
58組
164334
中大、大大大大大…
模仿得不像。
就跟你說不是模仿拳四郎呀！
這、這不是作夢吧？
會痛吧？這是真的。
捏！
做得好呢，美冴！
做得好呀，老公！
唰
彩券中獎值得那麼開心嗎？
好痛哦！
用力捏
喏，會痛吧？

當然啦！中獎就可以把房貸車貸還清啦！
出國旅行，高級名牌盡量買！

那，巧克比和玩具呢？
要多少都買給你！♪
那，六本木的陪酒酒吧呢？
想去幾次都帶你…

怎能帶你去！
不能去啊？
咳咳咳咳咳！

總之，這件事不能讓家人以外的人知道！
我什麼都不硬，只有頭最硬。
要守口如瓶啦！

!!
叮咚——

哎呀，是蜜琪和席林。
野原太太，今晚要不要一起辦燒肉派對？

我們準備鐵板和金狼烤肉醬。
麻煩你們準備肉和啤酒。
最好是神戶牛肉。
金狼
為什麼！
抱歉，我們正在忙。

對呀，我家正為了彩券中大獎而慌了手腳。

咦？什麼？9點在寶塚集合？代誌大條了！
我要模仿拳四郎，啊噠噠噠噠！
Aflac。
蜜琪我們回家吧，野原一家人怪怪的……
他們一向不正常。

各位！去把彩券換成現金吧！

彩券帶了沒！
就放在這裡面！
肚子裡裝滿便便！
囉嗦！

聽好，不管遇到誰，都要表現得若無其事哦。
OK！
緊張
興奮

哎呀，全家出門嗎？
不、不客氣，今天天氣晴朗，是外出的「絕交」日子呢！
生硬……

太不自然了，走囉。
對、對了，最近如何？奈何？幾何哈哈哈！
真不會演戲。
？

有個可疑男子，從剛才就跟在後面。

其實我也察覺到了。

我去問他『你是可疑份子嗎？』。
你想死啊？
難不成他想搶我們的彩券……

唔…前方也有目露凶光的男子…
驚！

嗟！
糟了，被前後夾攻！
噫噫噫…

抱歉啦，阿徹！
不小心睡過頭了。
討厭，你很慢欸，健介！
來，這是『交響情人夢』的DVD。
有屁屁體操的那一集。
噁心得可愛。

太好了，終於到目的地了！
這麼一來，我們是億萬富翁了。
大樂透

客人，這個沒有中獎哦。

妳說什麼呀，報紙上也有號碼…
瞧，我們得了1獎吧！

你的是『珍寶樂透』，報紙上刊的是『香寶樂透』。
香寶樂透
中獎號碼
啊！

你們的彩券中獎號碼，明天會刊在報紙上。
這對夫妻已經昏倒了。
唔嗯……

第二天
果然沒中獎…
一方面失望…一方面也鬆了口氣，哈哈哈…
天下沒有那麼好康的事哦。

小新流的察言觀色法，
我來教你哦！篇
之2
廁所…廁所…
大・中・小…♪
就快出來了…
去上廁所！
嘎恰！
廁所

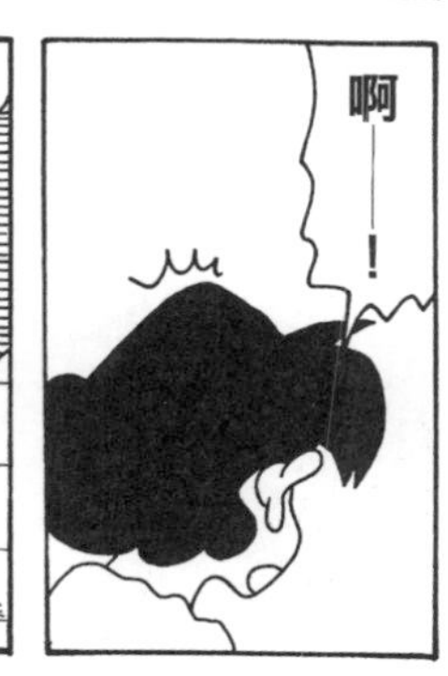
啊——！

新之助！
嘶噠…
嘶噠…

你在做什麼？

我正在解讀現場的氣氛。
你一輩子都讀不出來的。

別管那個，給我過來！
什麼事？

請放開我呀，官爺！
啊咧～
噁心死了！

你看這個！

妳換了新的便座套啊。
品味不錯哦。
不是那個，下面下面！

媽媽…妳尿褲子了嗎？
這是你灑出來的小便吧？

我有異議！這一句是誘導式訊問！
異議駁回！

為什麼一口咬定是我灑的！
因為小葵和媽媽不會站著小便，爸爸人在公司。
而且，你是小便沒對準的慣犯！我還目擊到你15分鐘前進了廁所！

太棒了！識破了我的完全犯罪。
不愧是神探哥倫布！
少裝模作樣了，把這裡擦乾淨！
是可倫坡。

不過，我每次灑出來，它都會自己變乾淨，所以沒關係啦。
因為那是我擦的。

那，妳今天為什麼叫我擦？
因為已經超過我忍耐的極限了！

什麼雞？媽媽也有小雞雞嗎？
像竹山那樣嗎？
我的意思是無法忍耐啦！
我沒有啦！
我看看。

趁這個機會，我要你學會打掃廁所，一星期掃一次。
咦——？

我每天已經很忙了，妳還要叫我打掃廁所嗎？
這樣就沒時間唸書啦！
你根本沒在唸書呀！

新之助，新時代的男性也要會做家事，否則會沒有異性緣哦。

娜娜子肯定也喜歡那種男生才對。
你想像一下跟娜娜子結婚，兩人一起打掃廁所的生活。

娜哪子，我用鬃刷刷馬桶，妳在旁邊看就好了。
他進入妄想的世界了。

啊，娜娜子，別把鬃刷拿走啦！
……

喂，別用鬃刷刷我那裡，壞壞小惡魔娜娜子！
嗶嗶！

那麼，開始學習打掃廁所。
先把清潔劑…
廁所咻咻

要不要用RAP的感覺打掃呢？
聽起來很好玩的樣子。

音樂開始！
咚滋！咚滋！咚滋！

咚滋！咚滋！
HEY！接下來要教你打掃的ABC！
總有一天會去夏威夷，阿囉哈！
咚滋！咚滋！
咚！

朝著馬桶噴清潔劑，噗咻！噗咻！
滋嗯！
噠！
然後用刷子刷刷，Need you！
滋滋噠！

馬桶座的另一面也要擦乾淨YO！
滋嗯！
當然四周也都要擦，HEY！

地板也要記得擦，MEN！
滋嗯滋噠！
衛生紙也要補足YEAH！

廁所是我們的療癒場！那兒滿溢著LOVE！

大家三Q！
廁所
HIGH不HIGH，ARENA！
？

哦！亮晶晶！
掃完覺得比平常累一倍。

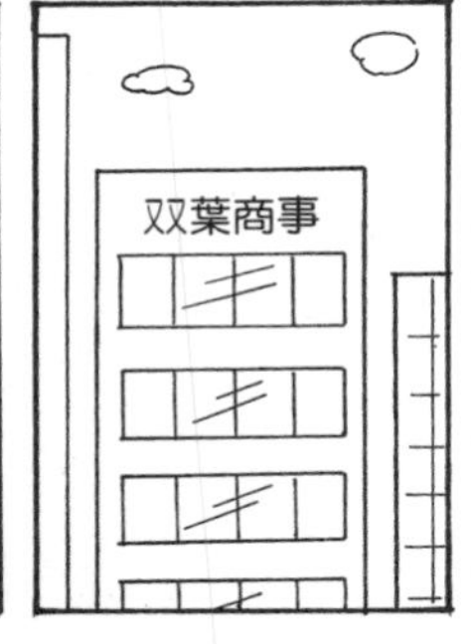
双葉商事

叮囉叮！

爸爸，我掃得亮晶晶哦，嘿嘿！

哈哈，我們家今天也很和平呢⋯

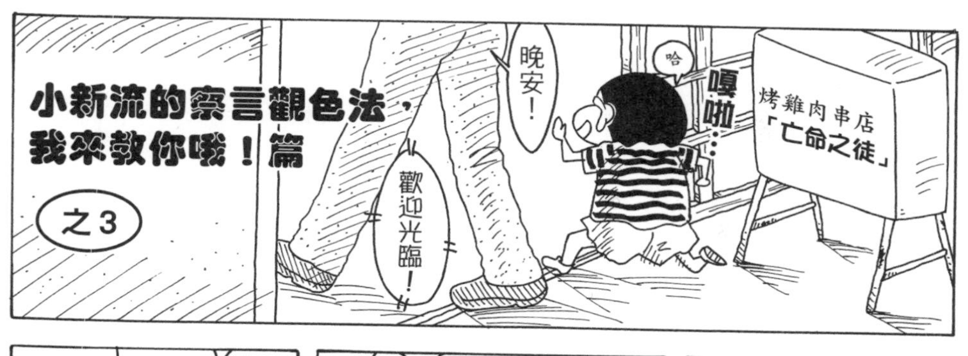
小新流的察言觀色法，我來教你哦！篇
之3
烤雞肉串店「亡命之徒」
嘎啦……
哈
晚安！
歡迎光臨！

中杯生啤酒和烤雞肉串。
我要燒酒調可樂不加燒酒。
別用容易搞混的說法點菜啦！

呼哈……
蘇珊。

瞧你一臉噁心樣，怎麼啦？
你還是一樣不怕死！
這時候應該說『一臉愁容』！

看來是談戀愛了嗎？
還真的咧，哈哈哈…

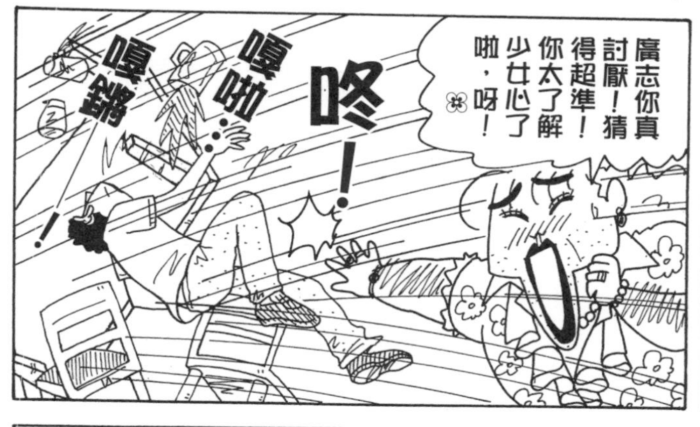
廣志你真討厭！猜得超準！你太了解少女心了啦，呀！
咚！
嘎啦…
嘎鏘

你愛上誰了？難不成是這隻海龜？
我才不會一邊流淚一邊生蛋呢！

其實是有個男士每天會經過我的店，我對他一見鍾情！
老闆，再來一杯啤酒。
暈頭轉向

因為他長得很像我高中時代仰慕的網球社學長。

你那時候是什麼社團的？
『小便憋到不能憋為止社』？
沒有那種奇怪的社團啦！

我是『一擊打倒棕熊社』。
那種社團也很怪哦。

不說那個了，幫幫我啦！人家的胸口因為戀愛而緊得喘不過氣來！
勒得好緊
嘰哩卡啦
我、我也喘不過氣來好痛苦哦！

直接表達自己的心情就好啦。
要是被拒絕了怎麼辦？討厭，人家害怕得不敢說啦！
你的樣子才嚇人呢…

從『今天天氣很好呢』這種平常的打招呼開始如何？
要是那天下雨怎麼辦！
我怎麼知道呀！

我需要跟他交談的機會，能跟他當朋友，我就已經很幸福了。
轉呀轉…
桌面被你磨得冒煙啦！

像這樣的如何？
噠噠噠！

哦！不小心跌倒…
咚！

散落…

我來幫你。
啊，不好意思。

不小心碰到…

抱歉…
沒關係…

要不要喝杯咖啡當謝禮！
好的，我很樂意。
這點子非常讚！我明天就實行！我買零食給你吃，你幫我吧！
這年頭還用那種老招式…
他沒救了。

第二天
那個人快走過來了，Are you lady?
No!I am a boy!

他來了，我到店裡去。
好！

跑過來

咦？
跳起

衝上去
再跳！
什麼？你在做什麼？

嗯…有兩下子。
欸？你是……
咻噠！

新之助。
叔叔你知道我的身分？你到底是何許人也？
FBI？PTA？

我是石坂啦，是你幼稚園的導師吉永綠的先生。
啊，原來是這樣！

你沒特徵，所以我早就忘了。
抱歉，我沒什麼特色…

那孩子怎麼囉哩八嗦跟他講那麼久…

已經傍晚了，你快回家。
好—
假裝聽他的話。

哦唔，不小心絆倒了…
咚！

散落…
就是現在！

衝出來！
我、我來幫忙！
嚇到！

哇啊啊！
拔腿就跑
他是不是看到什麼可怕的東西？
就是我啦…

剛才那個人是做什麼的？
呼呼…

老公你回來啦，我剛才正好去托兒所接小桃。
啊，小綠，我回來了。
爸！

小桃桃，我是把拔哦！
原來他有老婆和小孩。

你不告白嗎？
我不忍心破壞那孩子的幸福，我放棄了。
啜泣

先生…你的公事包。
啊，我完全忘了。
謝謝你。
？
就算蘇珊告白了，他的家庭應該也不會怎樣。

我想向你道謝…
停住…

我在同歸於盡商店街開咖啡店，不嫌棄的話歡迎你隨時光臨！
笑！

那天晚上
烤雞肉串店「亡命之徒」
他這時候…
原來蘇珊失戀啦…
或許正在哭呢。

嘎啦…
歡迎光臨！

聽我說！傍晚到我店裡來的客人，有個長得好像嵐的松本潤，是我喜歡的類型！
他對人家一見鍾情。
這麼快就振作了…

四格漫畫的
蠟筆小新

頭昏腦脹
頭昏腦脹

怎麼啦？
頭突然好暈…
大概是太累了，睡一覺就會好了。

我跟小葵來療癒妳。
謝謝，你們要為我做什麼？
噠

轉呀轉…
轉呀轉…
轉呀轉…
轉呀轉…
別轉了…

啊！我感受到藝人的氣息！
巨星氣息～
!!

呀！是偶像○○！
亮晶晶！
亮晶晶！
議論紛紛…

請幫我簽名！
不理會
不理不睬
噠

第二天
那個混蛋跩個二五八萬似地，可惡！
煩躁不耐
今天的妮妮全身是怒氣呢…
我好怕哦……
生氣
生氣

滴…
滴…
滴…

傾盆大雨
唔，突然下雨，傷腦筋…

純喫茶
男人們的挽歌
前面正好是蘇珊的店！讓我進去躲個雨。

滴！
滴！
滴！
滴！
哎呀，歡迎光臨！
我還是回家好了。
溼答答…
滴滴！
叮嘍囉叮嘍囉…

蠟筆小新 有點難度 小謎題～ PART21

有點難度小謎題，出考題對我來說也有點難度哦！先做做這種題目吧。

Q1

保鏢黑磯先生總是在保護小愛，這次我主動向他拜師，之前也有一個人向他拜師哦。你知道是誰嗎？

Q2

爸爸說他小學時代很會玩單槓，厲害到自稱「在單槓上飛舞的天使」的程度…他國中時很會游泳，你知道他被大家叫什麼綽號嗎？

Q3

妮妮家的布偶兔娃娃總是被妮妮和媽媽毆打，好可憐哦。你知道它是有名字的嗎？

◀ 答案在這一頁的背面哦！

來對答案哦～～
要是你全都知道，
就太厲害了！

A1

答案是上尾真澄老師哦。當棒球快打中小愛時，她看到黑磯先生從草叢出現救了小愛，非常感動。從第37集17頁開始看吧。

A2

自由式非常拿手，被大家叫做「鮪魚小廣」…可是他游不贏我的狗爬式，所以我很懷疑他的實力！出現在第45集76頁哦。

A3

它原本叫做「幸福快樂兔」哦。不過來到妮妮家之後，名字就變成「消氣兔」了哦。想知道原因，就從第28集的45頁開始看吧。

蠟筆小新外傳，
到最後一刻
都不容錯過！
吸骨鬼

呵
咿

蠟筆小新外傳　吸骨鬼第四章

前情提要
吸人類骨頭的吸骨鬼陣營，漸漸地統治了世界。在這段過程中，居合拔刀術高手古津光度良與唯一能打敗吸骨鬼王的武器骨劍，落到吸骨鬼王的手上。可是新之助拿到了鬼王視若至寶的骨吸管。

野原家
因應無骨症候群所制定的『碳酸飲料廢止法』已在國會通過，所以碳酸飲料已經從各地的店頭消失了。

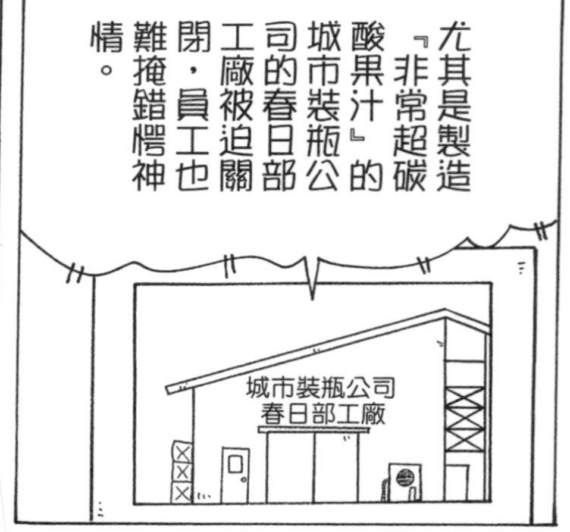

尤其是製造『非常超碳酸果汁』的城市裝瓶公司的春日部工廠被迫關閉，員工也難掩錯愕神情。
城市裝瓶公司
春日部工廠

衝進來！
我們是警察！逮捕野原新之助一夥人！

可惡，已經人去樓空了！
預防無骨症候群，就喝雙葉牛乳！
也不在其他房間裡！

他們應該還沒走遠，我們追！

吸骨鬼

第四章　逃命

可惡，我們終於淪落到被警察追了！
我們回不了家嗎？明天輪到我負責整理廚餘的說。
好想看『男女糾察隊』啊，女生吐槽大排行裡的西川醫師很搞笑的說……
現在不是看電視的時候。現在要逃離吸骨鬼的追殺！

跳下來！
呀——！

噴
呀啊——！

嘎嘶！

沒了碳酸槍，你就沒輒了，哈哈哈！
咕嚕
喝下
非常超碳酸果汁

吐——！
好燙——！

溶化滋滋……
非常超碳酸果汁用完了。
便利商店也沒在賣了。
我們必須思考接下來該怎麼做。

吸骨鬼王的巢穴
好想吸她的骨髓哦…
傻瓜，會被鬼王罵的。

而且她身上還有吸骨鬼的基因，聽說鬼王要讓她吸人類骨髓，成為吸骨鬼。

掃！
抓住！

嘎！
咚！

唔唔……
我必須去找骨劍。
好痛……
嘎恰……

什麼？臭小子他們跑掉了？你們在搞什麼呀！快抓到人，拿回我的吸管！你們這群呆瓜！人渣！卓別林鬍子！

大王冷靜點，咕嚕咕嚕咕嚕咕嚕……
喵哦——
吸骨貓。

……怎麼叫我裝貓啦！

可是，您為什麼非拿到那根吸管不可呢？
那根吸管是用我爸的鎖骨製成的，所以對我算是遺物，非常重要。

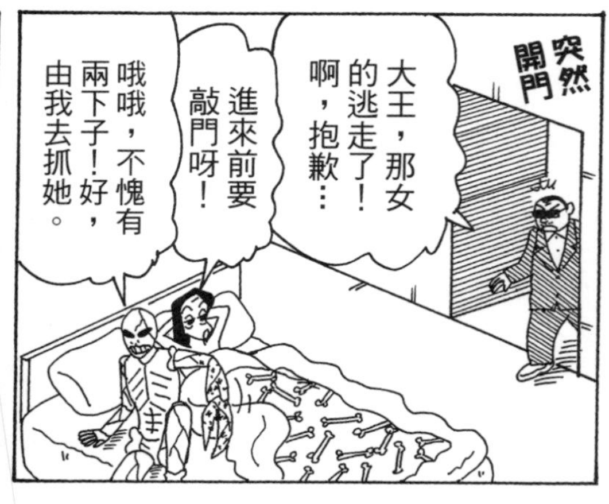
突然開門
大王，那女的逃走了！啊，抱歉…
進來前要敲門呀！
哦哦，不愧有兩下子！好，由我去抓她。

娜妲莉，妳跟大王…
上床了。

大王的那裡長什麼樣子呢？平常都沒露出來吧？
就好像飛機的車輪。

佛州炸雞
咕嗯…
咕唔唔…

MENU
今後我們要怎麼做呢？

退休後我想住在國外呢，老公。
好耶，我想住在澳洲。
並不是指那麼久以後的事情吧！
憑我們家的經濟能力根本辦不到！

我們必須找回良小姐和骨劍才行。
或許可以用小新搶來的骨吸管當做談判籌碼。
骨吸管被搶走時，吸骨鬼王相當慌張呢。

再來就把小新在敵人巢穴拍的這段影片，放在網路上傳閱，讓人們知道無骨症候群是吸骨鬼的陰謀。
你馬上去辦吧。
你以為你是領袖啊？

然後，必須拿到『非常超碳酸果汁』，否則下次又遇襲就out出局了。
不能設法改判safe安全上壘嗎？
少囉嗦，吃你的炸雞啦！

你這麼一提，我想到果汁工廠就在附近呢。
雖然關閉了，但裡頭大概還留有一些產品吧。
好，咱們霸佔那裡！

卡噠！卡噠！卡噠！
這樣就OK了，小新的影片此刻正在全世界流傳哦。
耶！版稅多少？
你不會有版稅的。

啾——滋
嚕嚕嚕…
怎麼搞的？我明明在看水戶黃門…畫面卻突然變成…這是電影宣傳嗎？

軟趴趴…
咦？無骨症候群？

超Good taste的！
這麼說，無骨症候群不是傳染病，而是他們害的？
他們是誰呀？
是吸骨鬼！
議論紛紛！

朝工廠出發！
鬧哄哄！
啊，抱歉，我忘了幫小白買炸雞。
咕嗯……

啃骨頭湊和湊和吧。
呼呼呼……

吧哩啵哩吧哩嚼碎……

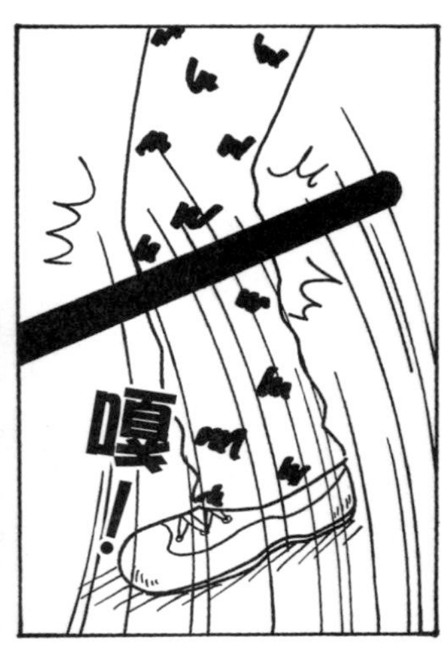
嘎！

呀啊啊！痛死我了！
骨劍在哪？我沒吃小魚干，變得易怒沒耐性！你不說的話…我不知道會做出什麼事哦！

小良，不可以打傷自己人哦。
我才不是你們的同伴呢！

我是人類！
嘎叮！
妳在心浮氣躁什麼呢？

妳差不多想攝取鈣質了吧？要吸吸人類的骨髓嗎？妳體內的吸骨鬼基因應該很想吸才對。

住口！
揮來
揮去
沒辦法……

一拳！
只好硬逼妳吃了。

啾——

大王……！
討厭
別吃醋啦，大王正把鈣質注入那女的嘴裡…也就是用嘴巴把人類骨髓灌進去，讓她成為吸骨鬼。
嘟嚕嚕嚕……

如何？人類骨髓比小魚干好吃吧？
啊啊…啊……
站不穩……

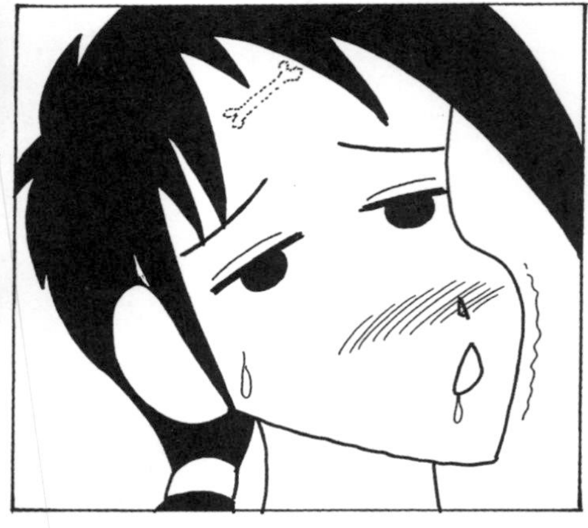

是偷骨吸管的那群人打來的。

喂，鬼王？今晚要不要來我家，我爸媽去旅行不在家。
咦？真的嗎？我真的可以去嗎？美紀。

你是國中生啊？美紀是誰呀！
他果然容易跟著搞笑。
不行啦，我們有要事要談。

城市裝瓶公司
春日部工廠
馬上把骨劍和小良帶來這裡，交換你的吸管。

非常
超碳酸果
非常
超碳酸
非常
超碳酸果汁
不照辦的話，我會把吸管敲碎的。

你對小良亂來的話，我會把吸管插進我的小菊花裡！
不行！萬萬不可呀！
掛斷！

所以，良，我要妳幫忙。
是的大王…
行屍走肉

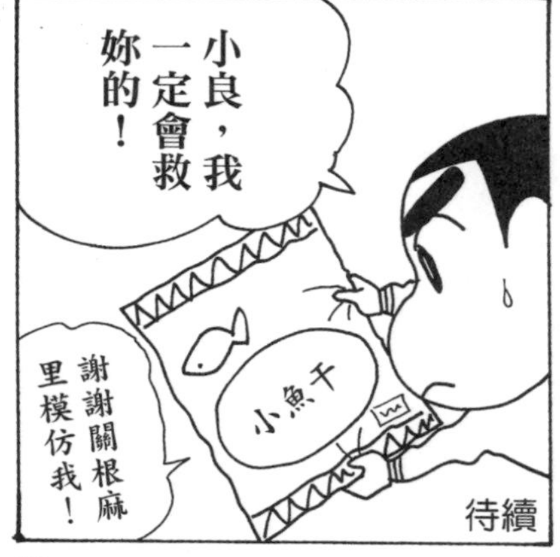
小良，我一定會救妳的！
小魚干
謝謝關根麻里模仿我！
待續

前情提要
唉……煩咧，我懶得說明。
城市裝瓶公司
春日部工廠

我把這位小姐和骨劍還你們，把我的骨吸管交出來。
先讓小良和骨劍過來！動歪腦筋的話，我會把吸管折斷！

吸骨鬼

第五章　別離

妳去吧，小姐。
步伐蹣跚……

欸？小良不太對勁……
噓——

小良！還好妳平安無事！
快把吸管交給我啦！

舉手！
就是現在！

看招，這是裝瓶前的非常超碳酸果汁！
衝出來！
噴
！

噴灑——
呀啊啊！
就是現在！小良，把他的頭砍斷！

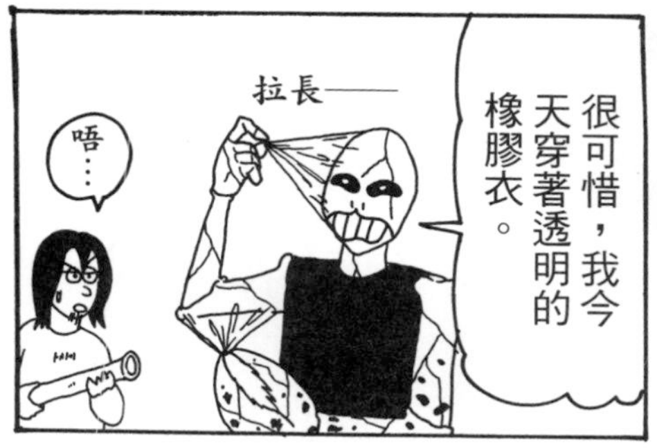
很可惜，我今天穿著透明的橡膠衣。
拉長——
唔……

良，把吸管拿回來。
是的大王。
咦——？
慘了！良被變成吸骨鬼了！

拿來！
噫！這是用竹子做的冒牌貨啦！大爺！
你以為在演古裝劇嗎？
小良……

哼！骨男！快把小良恢復原狀，不然我把真的骨吸管插進我的小菊花哦！
不不不！萬萬不行！

咕……

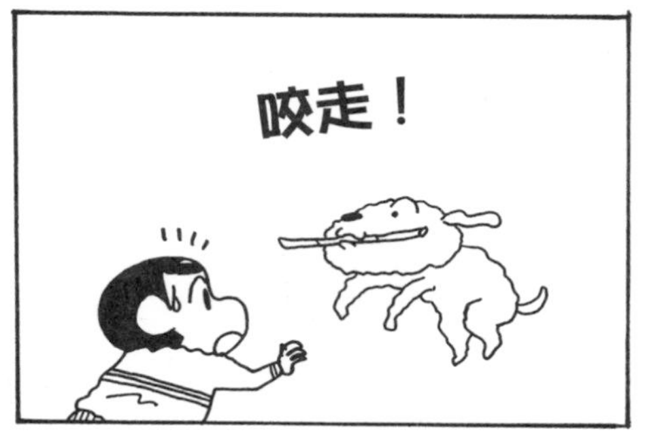
咬走！

嚼嚼嚼……
啊——！

豈有此理！
大夥出來！把他們全殺了！
鬧哄哄
鬧哄哄

噴
溼淋淋

嘿嘿嘿……
他們也穿著類似潛水衣的衣服！
這樣碳酸果汁起不了作用！

大家快逃！快離開工廠啊！
萬事休矣了嗎……
小良……
走了啦小新！小良已經不是以前那個小良了！

良，殺了那臭小子！
是，大王。

我們也把後門封住了。連一隻老鼠都無法離開這裡。
我去解決那隻可恨的狗！

嗶喀…嗶喀…
後門也都是吸骨鬼。
小新，你帶小葵從通風口逃出去！
咦──？那你們呢？

大人無法進去排氣管啦…

對呀，畢竟媽媽的屁股很大。
不只是媽媽！所有的大人都進不去啦！
野原太太，您別那麼生氣…

嗶喀…嗶喀…
吸骨鬼來了！
快點！
小白呢？
不要緊，牠肯定逃走了。

呵噫！
呼！

噗

臭臭…
對不起。

咻！
喳叮！

斷掉…
飄落…
?

噫……

刺進來！
小良，住手呀！

把他們的骨髓吸得一滴都不剩吧！
我們死定了…

可惡，房貸還沒繳清的說…
明天要參加里民除草，不去的話又會被鄰居說閒話。
貸款……
除草……

折斷！
折斷！
咕噫噫！
!!
咦？什麼？

我明白了！吸骨鬼一聽到困難費勁的字眼，也就是辛苦麻煩的事情，骨頭就會斷掉！

回家功課！
打工！
打掃！
呀！
吧嘰！
咕耶！
啵嘰！
陪家人！
原來你一直覺得陪家人很麻煩啊！

擔心吸骨鬼王發飆！
對！那個蠻累人的，咕耶！
應聲斷掉
不妙！
快跑

找到你了小狗，我要把你的頭給打開，放味噌進去取代腦袋！

咕嚕嚕嚕……
？

衝過來！
撞！
嗚啊！

嘿嘿嘿……
…那吸管…那傢伙吃了我爸爸的骨頭，力量變強了。

咬下去！
啵哩啵哩…
喂，不許咬我的骨頭！呆子！

磅！

滑下來……

噹！

小良…住手…！

放開我啦，呆子！
揮！
撞破牆！
打到！
嘎因！
小白！

!!

倒下去
嚼嚼吧哩吧哩…
唔呃…

用嘴餵下去
小良，妳真正喜歡的不是人類骨頭，而是這個吧！

磅！
嚇到！

全都是你害的！臭小子！
勒住
咕哇！
呀嗶——

良，刺死他！妳是個吸骨鬼吧？
站不穩…
我是…

人類！
嘎咻

怎麼會…

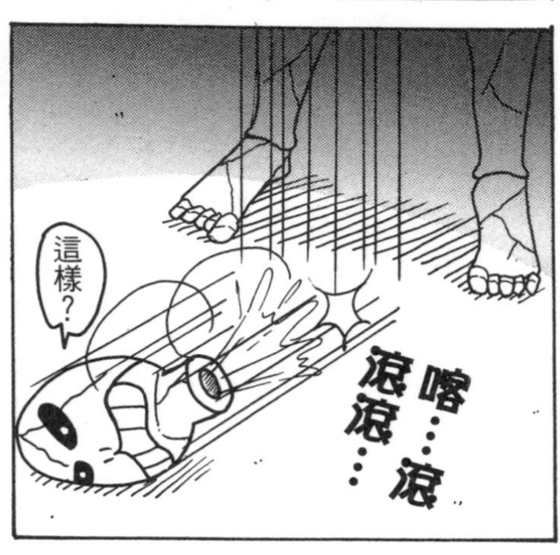
這樣？
喀…滾
滾滾…

小良！妳恢復正常了！
噴血
謝謝你！多虧小魚干我才能恢復理智。

可是我的身體有一半變成了吸骨鬼，肯定會想吃人類的骨頭，所以我要…
不行！妳不要死啦！

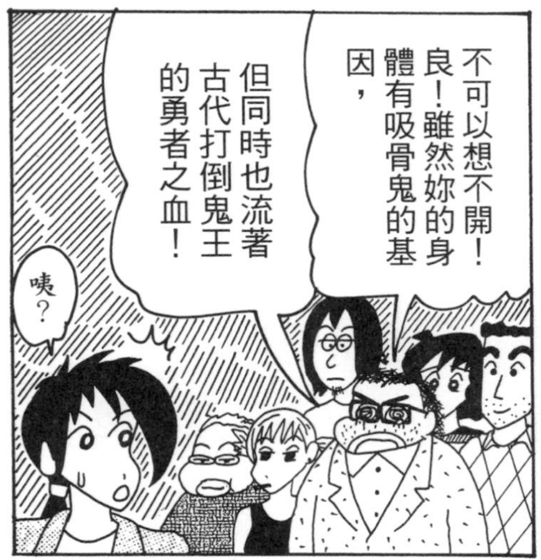
不可以想不開！良！雖然妳的身體有吸骨鬼的基因，
但同時也流著古代打倒鬼王的勇者之血！
咦？

其實我心中好奇，查過資料發現，妳也是衛斯里王國最強騎士肌肉苦郎的子孫！！
難怪我從小就非常想學劍。我的家庭環境跟學劍完全無關的說…

想吃骨頭的話，吃小魚干就好啦！
小良，妳可以克服的。
所以妳不需要死啦。
各位…謝謝你們。

我採到吸骨鬼王的體液了。
只要用這個製造疫苗，就能治好無骨症候群！馬上回研究室吧！
小白你還好嗎？
？

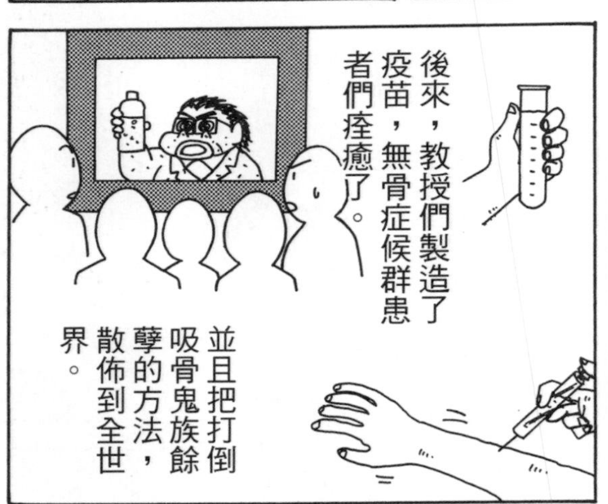
後來，教授們製造了疫苗，無骨症候群患者們痊癒了。
並且把打倒吸骨鬼族餘孽的方法，散佈到全世界。

美國白宮
看招，汽水槍！
噴
呀啊——！

溶解……
大、大王……
成功了！
讚哦，總統！

數天後
妳非走不可嗎？
還有很多四處逃竄的吸骨鬼族。我認為將他們全數消滅，是我的使命！

不，是「我們」的使命！
我們奉陪到底！
我們鑾有用處的哦！
吸骨鬼獵人隊成立！
各位！

回來後再一起吃小魚干哦！
在我回來前，你要變得愛吃小魚干哦。

又過了幾個月後，某國郊外…
啊啊…啊…
咻嚕嚕嚕…
唔唔…
軟趴趴
軟趴趴
倒下

呼呼…大王，我娜妲莉會再度讓你的子孫繁衍，一定要創造吸骨鬼族的世界。

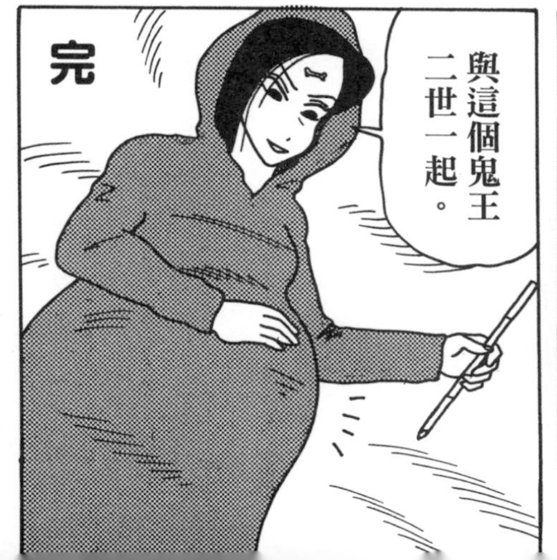
與這個鬼王二世一起。
完

超級寶貝小葵！風光神氣GOING！篇

超級寶貝小葵！
風光神氣GOING！篇

『如果小葵是幼稚園小朋友…』①

如果小葵是幼稚園小朋友…

動感幼稚園　向日葵班
今天我們用黏土做動物吧！
好

揉…
捏…
揉…
捏…

源基，你在捏什麼動物呢？
狗。
脖子好長…

美憂，那是什麼動物？
蝌蚪。
好大一隻。

小葵，妳捏了什麼呀？

蛋豆腐。
而且是紀文食品！
跟她哥一樣投機取巧…

小葵，可以的話，妳捏動物啦，要活的哦。
好。
捏捏…

好了！蛋豆腐狗！
哦喲，只是在豆腐上加腳而已呢，哈哈哈…
而且是紀文食品。

可以的話，老師希望妳做實際存在的生物。

討厭，真是任性的人妻。
要叫我老師！
我是人妻沒錯。
捏捏…

做好了！新之助的雞雞！
哈哈哈哈！雞雞！
小葵！雞雞不是生物吧！

雞雞是有生命的！會伸長縮短，還會晃來晃去。
啊，妳這麼一說，我的有時也會自己變硬哦。
源基，我不需要那種情報！
我也是。

雞雞有生命！
雞雞有生命！
雞雞是生命！
唔唔…
真無聊。

向日葵班
吵死了！雞雞才不是生物！雞雞只是長在男生身上的零件！

職員室
女老師在小朋友面前做那種不適當的發言，似乎有待商確…而且，把男性的重要器官說成『只是零件』也不太…
不好意思，我有在反省…
竊竊私語
真低級。

超級寶貝小葵！
風光神氣GOING！篇

『如果小葵是幼稚園小朋友…』②

如果小葵是幼稚園小朋友…
動感幼稚園
他的名字叫Police man！

小葵，跟我玩翹翹板…
不要！

是小葵先過去坐的！
啊？先坐先贏呀。

插進來！
喂！妳很壞哦！

咚！
別礙事！

小葵先的！
不行！這是美憂的！

小葵，我來幫妳！
盪過來…

咚！
盪過去！

嘻嘻！
哈哈哈！
盪來盪去…
盪來盪去…

超好玩的！
盪來盪去…
哈哈哈！
我以前好像遇過這種事情…
盪來盪去…

那天晚上
爸爸…女生真難懂呢。
哦哦！
你長大了哦，源基…
要喝一杯嗎？
老公！

超級寶貝小葵！風光神氣GOING！篇

『如果小葵2歲…』

如果小葵2歲…
『河童之夏』真是一部感人的電影呢。

她要玩洋娃娃換衣服…果然是女孩子，玩的東西跟新之助不一樣。
感觸良多

放馬過來！
好啊，來呀！

蜜卡踢！
停！洋娃娃不可以踢來踢去的！

聽好，小葵是女生，所以不可以用哥哥那種粗野的玩法。
小葵是女生？

真的欸。
迷有。
不用確認啦！
是「沒有」才對吧！

媽媽現在教妳換裝洋娃娃正確的玩法喔。
耶——

唔呵……
蜜卡，我們來換衣服哦，今天要穿哪一件洋裝呢？
裝可愛……♥

沒事的，媽媽身體沒有不舒服啦。

小葵，妳也幫蜜卡換衣服。
嗯。

蜜卡，今天要穿哪一件初體驗內衣咧？
2歲的小孩不許說什麼初體驗內衣！
又是新之助教妳的對不對！

※西岡純子：日本搞笑女藝人，常做ＳＭ女王打扮。

蜜卡說她今天要運動，妳幫她換運動服。
硬動符？

這個嗎？
那樣就變西岡純子了啊！

這個？
這是野人族嗎？跟運動差太遠了！

這個。
……好吧。
也算是運動……

蜜卡踢！
啊吒！
結果還是這樣…唔呵呵…

唔呀呀呀！

◎初出

『月刊まんがタウン』2007年7月号·12月号〜2008年7月号
『jourすてきな主婦たち』2007年8月号〜10月号

FC02348 C12P96

蠟筆小新㊽

原名：クレヨンしんちゃん㊽

■作　　者　臼井儀人
■譯　　者　蔡夢芳
■執行編輯　李慧婷
■發 行 人　范萬楠
■發 行 所　東立出版社有限公司
■東立網址　http://www.tongli.com.tw
台北市承德路二段81號10樓
☎(02)25587277　FAX(02)25587296
■劃撥帳號　1085042-7（東立出版社有限公司）
■劃撥專線　(02)2558-7277分機274
■印　　刷　嘉良印刷實業股份有限公司
■裝　　訂　台興印刷裝訂股份有限公司
■2008年8月20日第1刷發行

日本雙葉社正式授權台灣中文版

ISBN 978-986-10-1156-1 （價格以封面上標示為準）